scènes
de chasse au
groenland

francis brewer

le sorbier

Au Groenland, en automne les jours sont très courts. Le soleil s'élève très peu au-dessus de la ligne d'horizon. Vers la fin du mois d'octobre, de gros morceaux de glace flottent dans la baie. Bientôt, la mer sera complètement gelée. Au bord de la baie se trouve un petit village esquimau. L'une des maisons appartient à Amsirk qui est le meilleur chasseur du village. Sa famille n'est jamais à court de nourriture. Autour de sa maison on peut voir des bidons vides et des bouteilles. C'est un signe de richesse.

Bien qu'il fasse froid et nuit de bonne heure, Amsirk sort chaque jour avec son traîneau et va faire le tour de ses filets à phoque. Il a observé les phoques depuis qu'il était tout petit. Il connaît tous les endroits de la baie où les phoques aiment venir nager.

Il arrête son traîneau à côté d'un petit trou creusé dans la glace. Amsirk agrandit le trou et ramène le filet. Puis il tire le phoque mort jusqu'à son traîneau et rentre au village. Le phoque servira de nourriture à sa famille, aux chiens et aux amis. La boutique du village achète la peau et, avec cet argent, la femme d'Amsirk pourra acheter du charbon pour le poêle. Grâce à Amsirk, la famille est au chaud tout l'hiver et bien nourrie.

En rentrant à la maison, Amsirk pense à son fils, Unik. Unik n'ira plus à l'école cet été. Il aimerait qu'il devienne un chasseur. Mais, maintenant, beaucoup de jeunes quittent leur village et préfèrent aller vivre dans une ville au Danemark.

La nuit est déjà tombée quand Amsirk arrive à la maison. Sa femme, Inza, l'aide à traîner le phoque à l'intérieur. C'est son travail de dépecer l'animal. Elle se sert pour cela d'un couteau spécial appelé « couteau de femme ». Sa fille, Makra, la regarde faire attentivement. Dépecer un phoque demande beaucoup d'habileté. Une peau intacte vaut un bon prix. Quand Inza a fini, les deux enfants remplissent plusieurs seaux de viande pour les amis. C'est une coutume très importante chez les Esquimaux. Le climat du Groenland est tellement rude que les Esquimaux n'arrivent à survivre qu'en s'aidant les uns les autres. La nourriture

doit être partagée équitablement. Amsirk sait bien que
quand ses amis iront à la chasse, ils seront heureux, eux aussi,
de partager leurs prises avec lui.

A la fin du mois de novembre, le soleil n'apparaît plus du
tout au dessus de l'horizon. Il fait nuit presque toute la journée.
Amsirk est à la maison en train de réparer les filets. Tout à coup,
il remarque que les chiens sont nerveux. Puis il entend une
bande d'oiseaux crier. Il reconnaît ces signes : un ours polaire
rôde aux alentours ! Il prend son fusil et attelle les chiens au
traîneau.

Unik est à l'école. Les enfants entendent Amsirk appeler et tous se ruent au dehors pour voir ce qui se passe. Tous les chasseurs, ainsi que l'instituteur, courent derrière Amsirk. L'école est finie pour aujourd'hui !

Le traîneau d'Amsirk glisse rapidement sur la glace. Les chiens ont senti l'odeur de l'ours blanc et le suivent à la trace avec frénésie. L'ours se cabre, effrayé par les aboiements des chiens. Amsirk s'arrête et détache les deux chiens de tête. Ils rattrapent l'ours qui se tient toujours sur ses pattes de derrière pour se défendre. D'un gros coup de patte, il blesse l'un des chiens, qui roule à terre et ne bouge plus. Amsirk est arrivé près de l'ours. Il descend du traîneau et charge son fusil. L'immense animal s'effondre dans la neige. Les autres chasseurs aident Amsirk à porter l'ours jusqu'au traîneau et tous rentrent au village.

Beaucoup de monde attend Amsirk pour l'aider à traîner l'ours dans la maison. Unik est très fier de son père.

Deux femmes aident Inza à dépecer l'animal. Tout le village vient admirer la peau de l'ours.

— *Je suis bien triste d'avoir perdu mon chien,* dit Amsirk, *c'était un chien courageux. Il va me manquer.*

Ce soir, tout le monde mangera de la viande d'ours. Unik ne se lasse pas de regarder la peau d'ours qui gît sur le sol. Sa mère sourit et lui dit :

— *Qu'est-ce qu'il y a, Unik ? Est-ce que tu veux devenir un chasseur comme ton père ? Attraper des phoques et tuer des ours ?*

— *Il y a trop peu de jeunes qui restent au village,* ajoute Amsirk. *Ils veulent tous partir à la ville.*

Mais Unik hoche la tête et répond :
— *Pas moi, Papa.*

En décembre, il fait trop mauvais pour aller à la chasse. Il fait nuit toute la journée. Les hommes passent leur temps à réparer les filets et les outils. Ils fabriquent des modèles réduits de bateaux ou de kayaks. Ils façonnent de petits personnages appelés tupilaks dans l'ivoire des défenses de morse.

Unik observe son père pendant que Makra mâchonne un morceau de cuir pour l'amollir. Amsirk parle du passé aux enfants. Ils adorent écouter les vieilles histoires de leurs ancêtres.

— *Grand-père était un chaman. Il possédait des pouvoirs magiques. Quand il sculptait le tupilak d'un ennemi, on disait qu'il tenait l'âme de cet homme en son pouvoir. Il pouvait guérir un homme malade en appelant les esprits sur lui.*

Ce soir, c'est le tour d'Amsirk d'inviter tout le monde chez lui. Tous mangent, boivent et racontent des histoires. On rit beaucoup. Le chaman, une sorte de prêtre sorcier, a été invité. Il joue du tambour : les Esquimaux croient que c'est un instrument magique. Le son du tambour aide le chaman à entrer en transe et il se met à parler d'une voix étrange. Les Esquimaux sont persuadés que ce sont les esprits qui parlent de l'autre monde.

Le rythme du tambour s'accélère. Tout le monde bat la mesure. Puis, toujours en transe, le chaman commence à courir autour de la pièce. Tous les invités s'enfuient devant lui en tapant sur les meubles. A la fin de la soirée, la maison d'Amsirk est dans un désordre épouvantable. Mais personne ne s'en soucie. Ils ont triomphé des esprits du mal. Demain, c'est dimanche et les Esquimaux iront à l'église de la mission pour prier Dieu.

A la fin du mois d'avril, les premiers bruants des neiges reviennent du Sud. Amsirk et Unik vont chasser le phoque. Il fait encore très froid mais la réverbération du soleil est si forte sur la neige que les chasseurs doivent mettre des lunettes noires. Amsirk crie des ordres à ses chiens et freine en faisant traîner ses bottes dans la neige. Il a vu à quelque distance un groupe de phoques allongés au soleil.

— *Maintenant, Unik, c'est à toi,* dit-il.

Vite, Unik détache le petit traîneau qui était ficelé derrière le grand et hisse une petite voile blanche. Il sort son fusil d'une caisse étanche et rampe en direction des phoques en poussant devant lui le petit traîneau. Il s'assure que le vent souffle vers lui pour que les phoques ne sentent pas son odeur.

Les phoques ont une très mauvaise vue. Ils ne remarquent pas la voile blanche sur la neige. En rampant à l'abri derrière elle, Unik progresse lentement. Dix minutes plus tard, il n'est plus qu'à quelques mètres des phoques. Il pointe son fusil sur le plus gros et se met à crier « grr..grr..grr.. » comme il a entendu son père le faire si souvent. Le phoque lève la tête et Unik fait feu. Il saute sur ses pieds et court vers le phoque pour l'attraper avant qu'il ait glissé dans le trou que les phoques font dans la glace pour respirer. Le gros phoque est très lourd et Unik est bien content que son père soit là pour l'aider et le hisser sur le traîneau.

Unik sait que son père est fier de lui et, sur le chemin de la maison, il décide qu'il restera là et chassera avec son père dans ces contrées glacées où les Esquimaux vivent depuis toujours.

C'est l'été. Beaucoup de familles sont parties en bateau pour pêcher le saumon comme chaque année. Quand ils ne sont pas dans leur village, les Esquimaux campent dans des tentes modernes. Dans chaque tente il y a un poêle pour la cuisine et le chauffage car, même en plein été, à l'est du Groenland il peut faire froid et humide.

Les hommes ont disposé des filets en nylon dans l'eau et bientôt ils rapportent des saumons dans les bateaux. Les poissons sont dépecés et nettoyés par les femmes. Presque tous les saumons sont suspendus sur des fils pour sécher. Plus tard ils seront mis en réserve dans les maisons et serviront de nourriture pour les durs mois d'hiver. Le reste des poissons est cuit dans de grands récipients d'eau bouillante, en plein air. C'est un travail ardu mais tout le monde pense au bon repas de saumon que l'on aura ce soir. Amsirk a aussi tué deux grands oiseaux.

L'été est court au Groenland. A la fin du mois d'août il recommence à geler, Unik a quatorze ans et il n'est pas obligé de retourner à l'école.

— *Alors, Unik, qu'est-ce que tu veux faire ?* lui demande son père. *Veux-tu aller étudier au Danemark et trouver un travail en ville ?*

Unik secoue la tête et dit :

— *Non, je veux être chasseur comme toi.*

Amsirk sourit et lui donne une tape sur l'épaule.

Unik prend son kayak qu'il a fabriqué avec l'aide de son père et se met à pagayer dans la baie. En voyant son fils manier son petit canoë, Amsirk se sent soudain très heureux. Il sait que son fils deviendra un bon chasseur et qu'il saura nourrir sa famille plus tard.

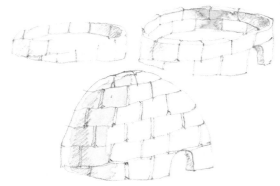

Les Esquimaux du Groenland

Les Esquimaux vivent dans le
nord du Canada, au Groenland et
à l'est de la Sibérie. Ce sont des
Indiens Cree qui les ont appelés
Eskimo. Cela signifie « mangeurs
de viande crue ». Les Esquimaux
se nomment entre eux les Inuit.
Cela veut dire tout simplement
« homme ». Les Esquimaux sont
de la race des Mongols. Ils
ressemblent à des Japonais ou à
des Chinois. Ils sont petits et
trapus et ont des yeux bridés, des
cheveux noirs et une peau
légèrement jaune. Les Esquimaux
de notre histoire vivent dans l'est
du Groenland qui appartient
maintenant au Danemark. Il y a
des centaines d'années leurs
ancêtres traversèrent le détroit
de Béring en venant d'Asie.
En hiver les Esquimaux habitent
dans des maisons collectives
construites en mottes de tourbe
ou en larges pierres plates. Des
familles d'une vingtaine de
personnes vivent dans ces
maisons d'une seule pièce.
Pendant leurs chasses d'hiver ils
font des igloos avec de la neige et
des blocs de glace qu'ils posent en
spirale, chaque rangée débordant
un peu plus vers le centre.
Pendant leurs chasses d'été ils
ont des tentes en peaux.

La construction d'un igloo

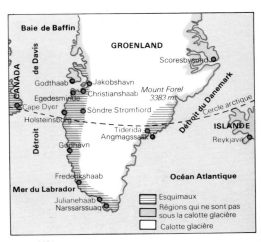

1 cm = 320 km

Leurs vêtements sont faits aussi de peaux et de fourrures. Avant d'avoir des lunettes de soleil, ils fabriquaient des lunettes en ivoire ou en bois pour protéger leurs yeux de la réverbération du soleil. Pour s'éclairer et se chauffer, les Esquimaux utilisaient de la graisse de phoque qu'ils brûlaient dans des lampes creusées dans la pierre.

Les Esquimaux ne pourraient pas survivre longtemps sans les phoques mais ils chassent également des ours polaires, des narvals, des morses et des requins qui constituent de la nourriture pour les chiens.

Toutes sortes de viandes séchées sont mises en réserve dans les maisons pour l'hiver. En été, les Esquimaux mangent des baies, des plantes sauvages et des algues.

Les Esquimaux de l'est du Groenland ont été découverts par un explorateur danois, en 1884. Une mission a été fondée par le gouvernement danois et, en 1920 les Esquimaux ont été baptisés. Mais, bien qu'officiellement chrétiens, d'anciennes coutumes et croyances païennes existent toujours et les chamans sont encore très puissants.

Le costume traditionnel féminin

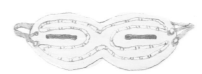

Lunettes de soleil

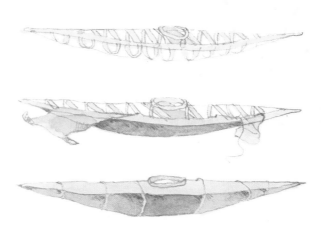

Le kayak a une charpente de bois ou d'os recouverte d'une peau imperméabilisée.

Les mariages ont lieu, en général, l'hiver et animent la longue période de nuit. On donne toujours aux enfants le nom d'un membre de la famille décédé. Les Esquimaux croient que l'esprit de la personne morte revit dans l'enfant qui porte son nom. Les Esquimaux traitent particulièrement bien les enfants parce que si un enfant est malheureux, l'esprit de l'ancêtre qui l'habite voudra s'en aller et l'enfant mourra.

La population de l'est du Groenland est passée de quelques centaines au 19e siècle à presque trois mille aujourd'hui, grâce à la médecine et à l'amélioration des conditions de vie. De nos jours, presque tous les Esquimaux habitent des maisons préfabriquées importées du Danemark. Ils ont des poêles à charbon et des lampes à huile. Les chasseurs se servent de fusils au lieu de harpons et leurs bateaux sont souvent des embarcations modernes avec des moteurs qui remplacent les kayaks. Comme les phoques deviennent rares, les Esquimaux dépendent de l'aide du gouvernement. Sans cette aide ils mourraient de faim. Plusieurs fois dans l'année, quand la mer n'est pas prise par la glace, un bateau vient du Danemark et leur apporte du fuel, des vêtements, de la nourriture et des produits de ménage qui sont vendus dans le magasin du village.